简历

巴欣荣 1970年生，锡伯族。新疆美术家协会会员，新疆油画艺术委员会会员。1994年毕业于新疆艺术学院油画专业，现任教于新疆艺术学院美术学院，任基础教研室主任。

1994年　作品分别入选中国油画沙龙展、庆祝建国45周年新疆美术作品展、首届中国油画静物展。

1997年　在新疆艺术学院举办个人水彩粉画展、作品入选中国第七届水彩画大展。

1999年　在乌鲁木齐市"丑鸟酒吧"举办个人油画展。

2001年　作品入选新疆建党84周年美术作品展。

2004年　作品参加首届新疆油画展。

2005年　作品参加第二届新疆油画展、同年参加新疆十二人第七回艺术展。

2005年11月　在新疆艺术学院举办个人油画作品展。

2006年　作品参加新疆当代油画提名展。

2007年　作品参加新疆·香港水彩画展。

自述

巴欣荣

画了几年画，因为简单所以没有什么与众不同的自述内容提供给观者，如果有那也无非是因为喜欢然后做了，然后以此为生，然后难以割舍。思来想去不如将自己近几年来在创作和教学中的体会进行简单的整理，权当一种思想自述吧。希望以下的陈述有一些意义。

材料的作用在于是否能够充分表现个人的想法，过分强调材料的特殊效果只能使作品的意味流于表面，而失去了触动灵魂的内涵，优秀的作品应该是二者的自然结合。

个人修养与思想是作品成功的关键，技法次之。过于追求技法的完美可能会忽视修养和思想的完善，而且在完成作品的过程中技法自然随着多次的制作而提高。

技法是为作品服务的，学习的过程就是为将来自己所要表达的思想寻找技法的过程。

优秀作品都有其极端性，要想达到作品最好的效果首先应做到心无旁骛，直达主题，特别是在表现形式上，中庸只能减弱画面的效果。

艺术家应具有历史使命感和社会责任感，否则作品将缺乏力度而经不起时间的考验。尤其是绘画，在它失去了造像和传播功能而只剩下精神价值之后，作品的思想性就成为最关键的要素。那些没有上述要素的作品，即使成功也只能是昙花一现。

没有自然，艺术便无从谈起。艺术家的灵感无不来自自然，没有自然就没有人，也就没有人的意识，至少在几千年内超越自然仍然是痴人说梦。自然界的作品是人类无法超越的。

循规蹈矩是学习艺术的绊脚石，不怕失败，大胆尝试和实验才是学习的捷径。

不在于遵循哪种派别，而在于如何充分表现自己的想法和思路。哪一种手法适合表现自己的想法就使用哪一种，不必拘泥于某种套路，否则将作茧自缚。

向大师学习不只是技法，更应该学习他们的创作思路和他们对待事业的态度。

画面的重复修改将会使画面有一种历程感。重复是一种努力的过程，而努力不仅值得尊重而且其本身也是一种有意味的形式。历程意味着无数的偶然，有意味的偶然是可遇不可求的，也是绘画者梦寐以求的效果。

面对画面要真诚，只有真诚地对待画面才能使画面充满情感的特征，才可能同观者产生共鸣。

第一感觉的表达是写生作品的目标，如果在作画过程中过多地考虑技法等问题可能就会失去自己最初的目标而导致画面的僵化，所以第一感觉应该铭记于心。

创作要有感而发。自己没有被触动只是为了迎合他人的口味而完成的作品只能是空洞乏味的，画面只有先感动自己才能打动观者。

主动性是完成画面的关键。在作画过程中，特别是在写生时不能一味地照抄事物，而是要主动地分析组织画面以达到画面的整体符合第一印象。

线是最有感情的绘画要素，点和面是装饰。在画面上线的变化最为丰富，情感特征也最为明确，而点和面的情感特征是由线帮助完成的。

色彩的高雅与个人修养有直接的关系，要达到自如使用色彩的境界除了大量练习还需要提高个人修养。当然除了那些天才。

学习是寻找切入点的过程。而这个切入点同自身的努力是分不开的，它需要多次的尝试和实验，有可能一生也无法找到。

作品的内涵与个人的性格有直接的联系，不同的性格所观察的角度、认知的方式、解决的办法都不同，自然会出现不同于其他人的作品内涵。

优秀作品具有永恒性，它应该经得起时间的检验。

素描就像哲学对于其他学科——研究自然事物的最普遍的规律，也是一种最直接的艺术形式。在课堂中的素描只是也只能是素描中所涵盖的最小的范畴，它所指的应是如何训练素描艺术所需要的观察、分析或是表现等各个方面的能力。

选择材料就像将军选择武器要顺手。找到适合自己画面或者是作品形式的材料对于每一个艺术家都是至关重要的一步，当然其最高境界应该是没有材料的限制。

对各种艺术派别或形式要有研究才有发言权，没有经过调查研究就下结论是武断的不可取的学习方法，只能导致固步自封。

痛苦之后的狂喜是最诱人的时刻，学习过程中每上一个台阶都很痛苦，而且越往后越难越苦，间隔的距离越长。但是每上一个台阶都会有一种狂喜，这种狂喜是无法用言语表达的，可能就是因为这个原因使我们坚持继续。

个人对作品的要求在实际中达到80%的效果就很令人满意了。在作画过程中由于各种原因与预期的效果总有偏差，总有不尽如人意之处，当然也有超出想象的部分。我相信希望的美是永远无法达到的，也就是说最完美的作品应该在想象中，这也是人们努力的原因之一。

在完成作品的过程中，发现问题、解决问题是进步的关键时刻，这时要学会分析总结，这也是学习时最令人激动的时刻。

多次的偶然之后就是必然，只有大胆地尝试才会出现偶然的效果，要想使它成为必然则必须经过认真研究和多次实验才能掌握。

风格的产生需要偏执、坚持、甘于寂寞。

功利性的固定风格是一个艺术家的悲哀，他们的道路将是短暂的。自然形成的才可能成为永久。

被经济意识控制的艺术家是商人。

画画时不要考虑别人想要什么而是你想要画什么。

以上是本人在学习、创作、教学中的心得体会，相信同道中也有同感者。当然肯定有很多同其他人的思想的雷同之处，但这些却真的是我的切身体会。写出来算是共勉，也可时常提醒自己。可笑之处，贻笑大方。

巴欣荣再扣柴门：穿越亦或飞翔

张健波

从巴欣荣的绘画中能看出他的孤独，因为"孤独"是一个在文化域度具有相当分量的词汇，它的隐秘内涵有时即使是本人也是无法说清楚的。它应当是来源于人的心灵深处和身体内部。这似乎也很好地隐喻了艺术家本人对目前存在状况的思考。

20世纪70年代出生的人具有着集体意识中双重理想人格的身份。他们深刻背负着父辈的理想，同时又面临着今天艺术思想领域中的巨大跨越，在人生的交接处经历着巨大的岁月变迁，这种切身的感受肯定也体现在巴欣荣的艺术创作中。

如果我们以风格学的分类方法来划分他的作品类型的话，可以清楚地发现他的作品包含以下三个方面的风格，这同时也表明了它们之间在风格特色和时间关系上的嬗递关系。其一是学院派风格类属的写实主义作品；其二是表现主义风尚的心态流露；其三是抽象表现主义风格。如果仅仅是从这三个方面来探究他的风格渊源，有意无意中又似乎显得过于单纯了。因为任何一种风格的形成亦或现象的发端，都有着深刻的内在因素，对此的探察同时也即意味着一种对于背景的再次扶起。

在第一类作品之中他很好地体现出了扎实的基本功、严谨的造型能力。在这些作品中他所选择的题材是现实性的，所采用的手法也是写实主义的，这些作品的出现标志着他完成了其艺术生涯中的一次重大锻造，为他以后艺术语言的成熟奠定了基础。

在第二类作品中，我们能够看到他的画风自进入到90年代中期以来的明显变化。作品之中我们经常能够看到一种类似于"模糊意识"的独特体验。这也是表现主义风格的作品所常常具有的题材要素。

当"意识"被艺术家当作认识的方式在绘画中运用时，它在方法论上就演绎为一种由外及内的观察方式。这种观察方式的目的无疑是使事物的本质"显形"，如内在情绪和组成因素，从而使得事物在情感的注视下还原为它的本来面目，并呈现为绘画上的状态出现。

以今天人们的眼光看来，巴欣荣的具有表现主义的绘画风格我们也可以看作是对于此前现实主义和评判现实主义的图像拆解。"拆解"同时也即意味着是一种建构，就是要以重新沟通的方式来化解以往绘画概念和人的生存现实之间的巨大障碍，这同样显示出了一个真挚的艺术家所应具备的观念的力量。也正是凭借这种生动的观念方式，他在绘画中的一些图像具有了某种可以再次超越的能量：它们既可以在主体观念营造的氛围中活动，又能进入到如现实主义、象征主义等集体意识的板块构成中。

表现主义绘画所具有的如此巨大的能量，正是巴欣荣的作品如此吸引人的一个重要原因，在历史和现实之间，在具象和表现之间，在想象和真实之间，他很好地沟通了它们之间的一致与平衡，诠释了生活中种种的存在现实，也经常深入到内心去审视自己的灵魂。从这种观念出发，他逾越了现实中的种种障碍，也解放了自己的内心世界。

巴欣荣的第三类作品是属于抽象表现主义的。在此类作品中，我们能看到"抽象表现主义"所深切关注的要点，他也深深懂得绘画的另外一个重要性，那就是如何在创作过程中与产生的变化和意外相吻合。因为从心理深处而言，艺术具有的这种特性也是可能对人的情绪和感受产生作用的。

巴欣荣"抽象表现主义"绘画风格的形成我们可以说间接遥承了达达主义的波普思潮而又没有完全否定古典主义的绘画传统。主张彻底解除肉眼对外界的限制，但又绝不仅仅徘徊于抽象的姿态，而是把透过潜意识中传递出来的符号激活，这样它就可以不介意任何材质下的象征。它可以是任何情绪，任何东西，哪怕只是一团色和一根流动的线条，只要有象征就行。

因此，巴欣荣的第三类绘画也演变为对人自身终极处境的关注，这种思想引导了他近年来的艺术行动。从视觉规律上我们可以明显发觉，这些作品涤除了视觉因素中的一切细节和琐碎，最终成为一种特定的心理状态。但通常的状况是，就连艺术家本人有时也并不清楚自己的作品中是否带有当下语境的话语，常年艰苦的劳作和心无旁骛的创作活动也使得他们通常不太关注他们的作品之中是否被打上了时代的文化烙印。然而，正是艺术家忠诚于自己的内心这一点自然就会使得他们的作品成为了时代文化精神的反映，他们的敏感触角也会深入到大众的内心中去，成为大众文化阵营中的代言人。对于他们的艺术作品来说，毫无疑问也是经受住了时间的淘洗，并以一种内在的传统在人们心目中沉淀下来。

这也是我们今天对待巴欣荣的绘画作品的一种客观态度。如果把他的绘画完全当作一种现实的构成来体现他的全部真实，这将使我们陷入想象力的匮乏之中，同时也无法走出机械主义的僵硬。但如果一味强调观赏这些作品之后心理上的感受，则又会陷入情绪化的涟漪之中，从而使赞赏的言辞失去了生动的力量。

在很多作品中巴欣荣表现了作为艺术家本人的主体意识。意识其实就是在人内心深处的一种心灵暗示，虽然有时它并不是真实的，但它依然在人的思想构成中占据了很大的层面。这种潜在的意识有时表现为一些符号，虽然图像的呈现有时落后于真实的事物面貌，但正是图像以及其背后的凸现意图才显示出了艺术家对于世界的思考和认识。

正像是许多现代主义的艺术家那样，巴欣荣的许多创作是属于梦境的，或者是荒诞。在这些荒诞的感觉被还原出来的同时也包含了诸多的情绪描述，这实际上仍然是他本人的图像概念在现实生活中的反映。很多这样的反映是停滞在

时间之外的，它们构成了另外一番幻觉，就像是在生活中早已被人们熟知了的一些悖论。它们是一些原本重要却容易被人们忽视的元素，如我们的生活中普遍存在的盲目、冷漠和无缘无故的宿命、空虚、无意义等。

从主体方面来说，巴欣荣充满着焦距与透视感的画面实际上是一种无主体的叙述，当主体过于强烈的感情以一种客观的方式表达时，图示就出现了。它来源于人的内心世界，也来源于现实的生活，但无论如何它都是沟通内心和现实之间的重要渠道。种种生活空间的再现实际上是一种破碎的、肢解的同时也是一个被刻意营造的文化背景，里面包含了太多人文的含义。它们对于空间的展示往往也不是一个纯粹意义上点的描述，而是在一个时间段落中展开的一段有深度的叙述。这种叙述的契入点当然还是来自主观的持存和演绎，也有可能是想象带来的曲折和动人。正因如此，这种对于生活的描述才显得如此动人，如此富有魅力。

巴欣荣用他青年时代的实践为图像世界作出了一些贡献。在他的绘画中，他所运用的符号在"能指"和"所指"之间起到了很好的沟通效果，渲染了一种独特的气氛。有些气氛就是模糊、复杂的和不确定的，然而，也正是通过这种方式才沟通了人和艺术世界的种种联系。他的图像世界使得过去发生了有效的绵延，有着强烈的心理暗示，通过这种暗示，人们就会在现实和未来之间作出准确的判断，也能够沟通面对未来时悸动的心灵。这也正是图像存在的重大意义，它使"过去"重新显现出来，让它们无声无息地唱歌跳舞，使人们牢记过去的苦难和快乐。

在观赏了巴欣荣的一些绘画图像后，我们会认识到这也正是我们在过去曾经无限小心翼翼地保藏起来的所有情感。它们就像陈年的酒散发出亘古的醇香，这也是图像世界对于现实的意义，它代表着我们对精神彼岸的向往，表达着人们对于精神家园的热切找寻。

一个晴朗的下午，在巴欣荣的画室，我们几个朋友之间品着茶展开了一次轻松愉悦的聊天，其中几个简短的话题是这样的：

你的父亲巴光明先生是新疆有名的艺术家、油画教授，你觉得他对你有哪些方面的影响？

答：大约在6岁的时候我才知道有画画这样的事，妈妈一直鼓励我们画画。每星期都至少要画4小时的画，由父亲指导。在学习期间，有问题还是问父亲，另外就是资料室。

这么多年以来，父亲对我的作品的态度就一直是不满意，当然偶尔会表扬，但更多的还是不满意，这种状况一直持续到了现在。

你是在新疆本土成长起来的，你认为新疆本土文化对你的影响有多大？

答：两个方面，一是性格上的影响；二是在色彩方面。

新疆的民间习俗和民族风情众多，在接受的过程中就自然而然地造成了我本人性格上的包容和豁达。

在色彩上，可能是因为地貌和民族特点一直是喜欢明亮的色彩，后来绘画认知度提高了，经过反思有些改变。这种反思可能也是与民族性格有着很大关系的。我的性格是外表稳重、内心狂热，这一特点使得我喜欢去表现一些深层次的人性方面的东西，就是人本质的一些东西。

在这种艺术创作的过程中，眼界得到了开放，因为画画毕竟是一种没有边界的语言，它可以超越民族间的一些限制而体现出通用的元素。它可以超越民族或者国界的概念。

当然，个人的喜好也会变化，在从小到大的过程中，我的一些爱好就发生了重大的变化，我也不确定以后还会发生怎样的变化，但可以肯定的是我还会一直关注一些人性方面的东西。

我们都知道，画画是一条漫长而艰辛的道路，它需要一个人毕生的精力和孤独而执著的探索，同时还需要一种"夸父追日"般的献身精神，你对此是怎么看的？

答：先从孤独开始再到"夸父追日"吧。孤独是每一个真正的艺术家都要有的一种状态。它涉及个人心灵空间的营造，它也必须是这样的一个过程。

如果一个人不为利益诱惑的话就会达到"夸父追日"的状态，这也是我这么多年以来一直希望达到的。我们也不是有意去"追日"，在绘画的过程中，如果静下心来会很自然地达到这一效果，再者，身边有很多这样安于淡泊的朋友，自己又喜欢。

人的心灵开启往往是在一个不经意间完成的，并且这种精神的愉悦也不是任何人都能在一个物化了的世界中体会到的。这是一个春意盎然又略显安静的下午，榆树在窗外静静地抽茁新枝，我们似乎能听到枝条拔节的声音，一切都处在无声无息的生长之中。

我和巴欣荣相识有八年时间了，八年在历史的长河中不算什么，但在人的性情岁月中却已显得弥足珍贵了。一次，在和他的朋友，水彩画家何孝清聊天时我们突然说起，在这些朋友之中，巴欣荣是最不会老的。在座人皆惊诧，追问为何，答曰："他在20岁的时候看起来已经像是40岁的人，他未曾年轻过当然也就不会衰老了。"众人皆点头称是。

作品目录

安全地带
146cm×38cm×3　　1995年

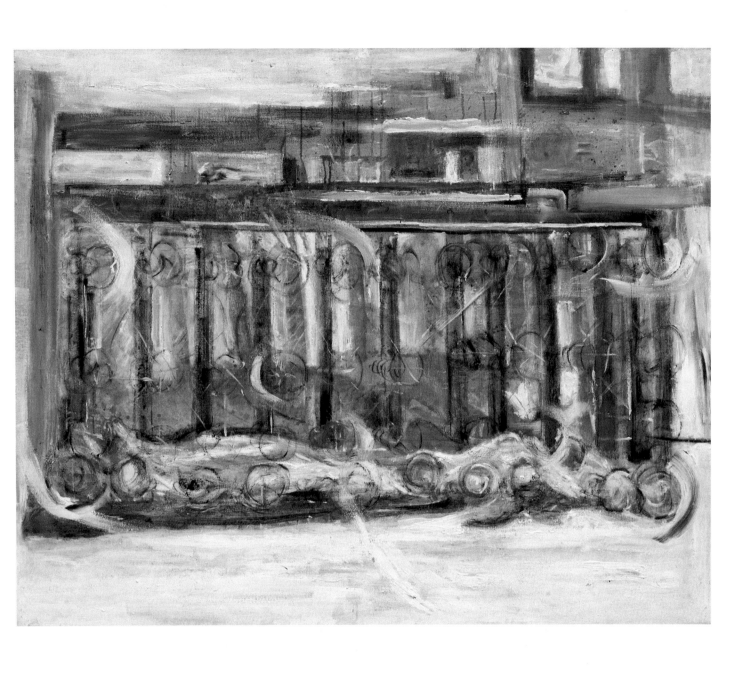

进行中
120cm×168cm　2003年

跳吧，米娜
150cm×150cm　　2005年

静 物
60cm×75cm　　2001年

状 況
160cm×110cm　2004年

蜜蜜
60cm×50cm　1999年

瓶装量贩
90cm×50cm　1998年

空房间
120cm×160cm　2003年

小吃
80cm×100cm　1999年

逝去的光
146cm×112cm　2004年

旺龄消费
140cm×112cm　　2001年

女人体
75cm×50cm　　2004年

听 歌
146cm×112cm   1998年

跟着去
60cm×50cm　　1997年

人 妖
75cm×55cm　1997年

病人
60cm×50cm　1998年

贝尔拉库拉
90cm×70cm　2000年

罗 拉
50cm×38cm 1997年

镜中的自画像
80cm×60cm　　1996年

玫瑰和我
60cm×50cm   1997年

老人像
80cm×80cm　1999年

卡尔曲克的树
60cm×50cm   2002年

清河风
50cm×60cm　1997年

愁
75cm×50cm　2003年

掏 牙
75cm×50cm　　2006年

女人体
60cm×50cm　　2000年

遛狗的人
90cm×70cm   1999年

冷光下的女人
90cm×70cm   1997年

醉酒的天使
60cm×50cm 1999年

夜晚动物
90cm×70cm　　1999年

静 物
50cm×75cm　　2005年

午夜二点半
100cm×80cm　　1999年

雨 季
80cm×100cm　1999年

沙发上的女人
110cm×125cm　2000年

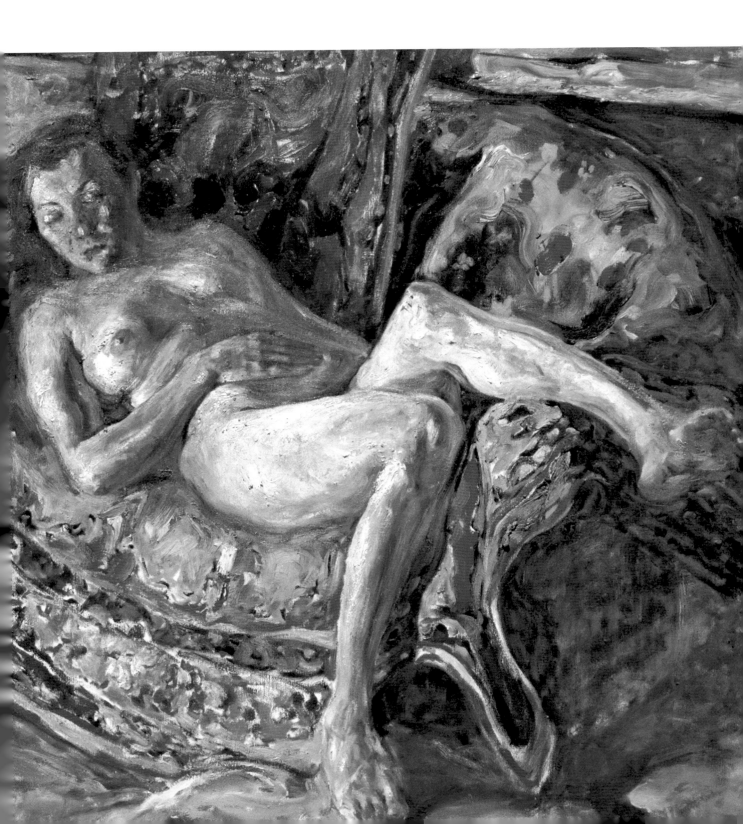

情人
100cm×80cm　1999年

九 零
60cm×50cm　1996年

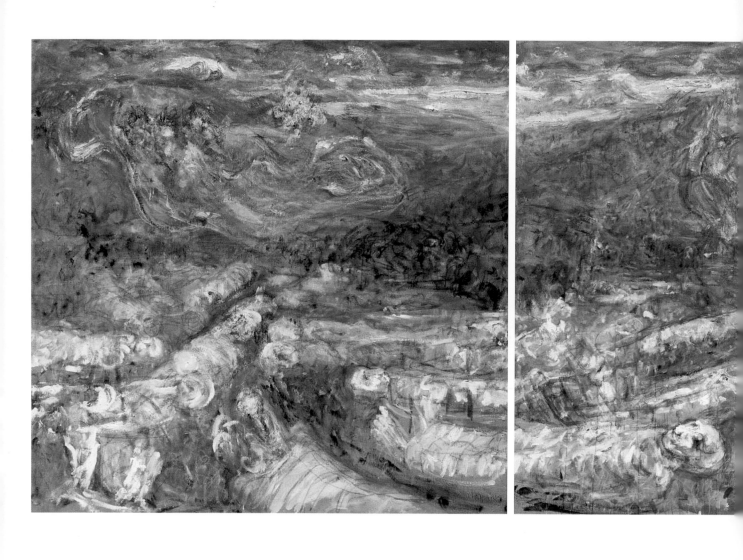

山谷寄托
150cm×175cm×3　　2007年

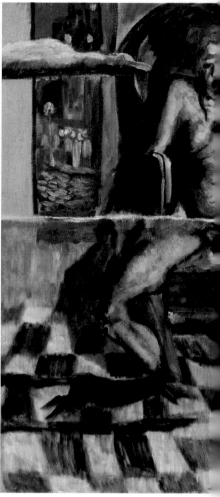

有蜡烛的房间
100cm×100cm×3   1995年

男人像
60cm×50cm　2001年